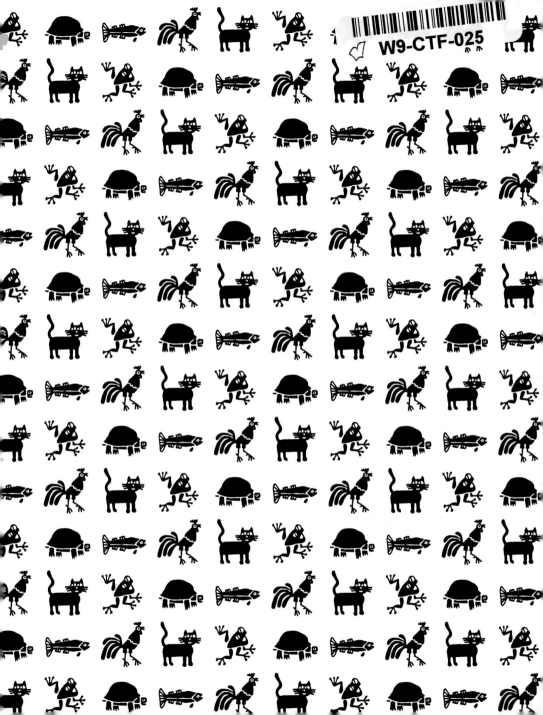

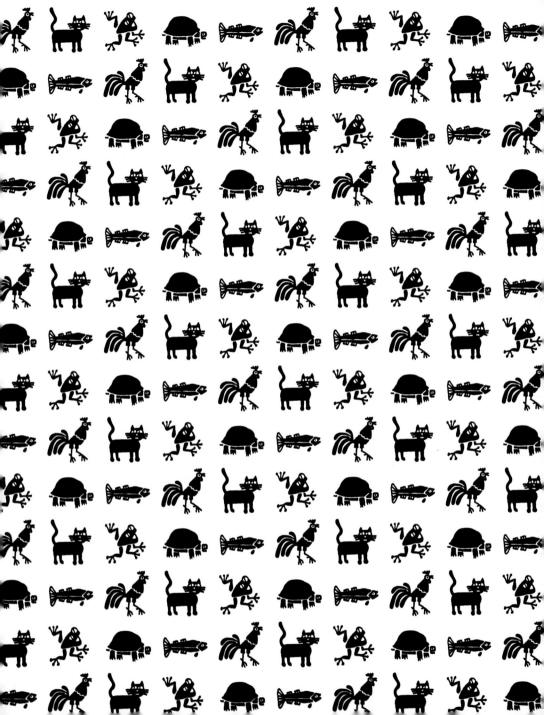

Quatrième édition septembre 2010

Éditions Mijade
18, rue de l'Ouvrage
B-5000 Namur

© 1972 Eric Carle
Titre original :
Rooster's Off to See the World

ISBN 2-87142-188-9
D/1999/3712/20

Imprimé en Belgique

Eric Carle

Le coq qui voulait voyager

Mijade

Un beau matin, un coq décida de partir en voyage.
Il se mit en route aussitôt. Il allait voir le monde !
Il n'était pas encore très loin que, déjà,
il commençait à se sentir seul.

C'est alors qu'il rencontra deux chats.
«Je vais voir le monde», leur dit-il.
«Vous venez avec moi?»
«Volontiers», ronronnèrent les chats
que l'idée de voyager séduisait.
Et ils suivirent le coq.

Un peu plus loin, le coq et les chats
croisèrent trois grenouilles.
«Nous allons voir le monde.
Vous venez avec nous?»
«Pourquoi pas?» répondirent les grenouilles.
«Nous n'avons rien de mieux à faire,
de toute façon.» Et elles suivirent le coq
et les chats en sautillant.

Plus tard, le coq, les chats et les grenouilles
aperçurent quatre tortues qui se traînaient
tout doucement sur la route.
Le coq les héla. «Vous venez avec nous ?
Nous allons voir le monde !»
«Ça a l'air amusant»,
commenta une des tortues.
Et elles se joignirent aux voyageurs.

Comme le coq, les chats, les grenouilles et les tortues
allaient leur chemin, ils virent cinq poissons
qui nageaient dans un ruisseau.
«Où allez-vous comme ça?» demandèrent les poissons.
«Nous allons voir le monde.»
«On peut venir avec vous?» supplièrent-ils.
«Vous êtes les bienvenus», affirma le coq.
Et les poissons vinrent grossir la troupe.

Bientôt, le soleil se coucha.
Le ciel s'assombrit et la lune apparut à l'horizon.

«Qu'est-ce qu'on mange?» voulurent savoir les chats.
«Où est-ce qu'on dort?» s'inquiétèrent les grenouilles.
«On a froid», gémirent les tortues.

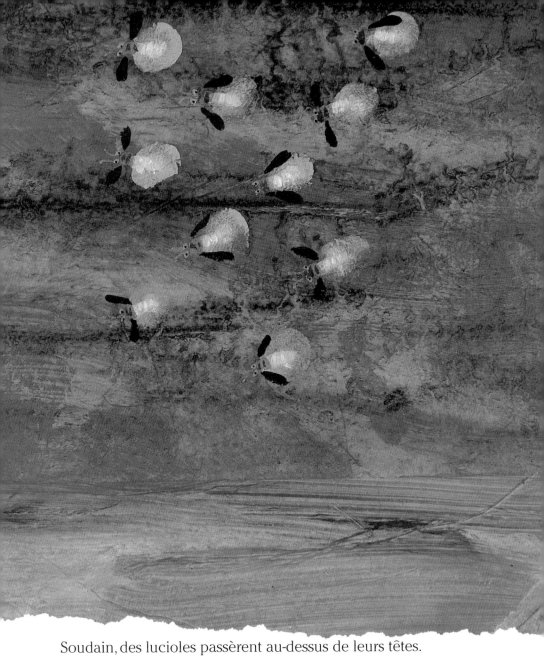

Soudain, des lucioles passèrent au-dessus de leurs têtes.
«On a peur!» pleurnichèrent les poissons.
Le coq ne savait comment rassurer ses amis.

Il avait oublié de prévoir les repas et le logement.
Il n'avait aucun plan.
Personne ne dit rien mais, au bout d'un moment,
les poissons annoncèrent qu'ils préféraient rentrer.
Ils souhaitèrent un bon voyage à tout le monde
et s'éloignèrent.

Les tortues, qui regrettaient le confort
de leur petit chez-soi,
firent demi-tour un instant plus tard.
Sans même un «au revoir»,
elles s'en allèrent en se traînant.

Les grenouilles non plus n'étaient pas contentes.
D'un bond, la première grenouille prit le départ,
suivie de la deuxième puis de la troisième.
Avant de disparaître, elles souhaitèrent au coq
une excellente soirée.

C'est alors que les chats se rappelèrent
le plat de viande qu'ils n'avaient pas fini de manger.
Ils firent leurs amitiés au coq
et eux aussi rebroussèrent chemin.
Resté seul, le coq réfléchit.
Puis, redressant la tête, il s'adressa à la lune.
« Je voulais voir le monde et je n'ai rien vu.
J'ai froid. J'ai faim. Mais pour être honnête avec vous,
j'ai surtout le mal du pays. » La lune ne répondit pas.
Elle disparut, comme les autres.

Alors, le coq comprit qu'il valait mieux faire demi-tour et rentrer à la maison.
Après s'être régalé de graines, il s'installa sur son bon vieux perchoir.

Il ne tarda pas à s'endormir et cette nuit-là, il fit un rêve merveilleux.
Il rêva qu'il partait faire le tour du monde…

Enfant, Eric Carle était plus philosophe que mathématicien.
Il se souvient de ses difficultés en ces termes :
« Quand on me disait qu'il y avait deux pommes dans un plat
et qu'on me demandait combien il en restait
après en avoir retiré une, j'hésitais avant de répondre.
En effet, personne ne peut réellement "retirer" une pomme.
On peut la manger, en faire du cidre ou la cacher dans un panier,
mais la pomme reste une pomme. Elle ne disparaît pas vraiment.
D'autre part, si l'on ajoutait une pomme dans un plat
où il s'en trouvait déjà une,
il y avait toujours un plat au moment de l'addition !
N'était-ce pas un élément à prendre en considération dans le total ? »

"Le coq qui voulait voyager" est né du souvenir de ces hésitations.
Le livre s'adresse aux enfants qui rencontrent des difficultés dans
l'apprentissage des nombres en tant que symboles spécifiques,
mais aussi à tous les autres qui s'initient aux mathématiques.

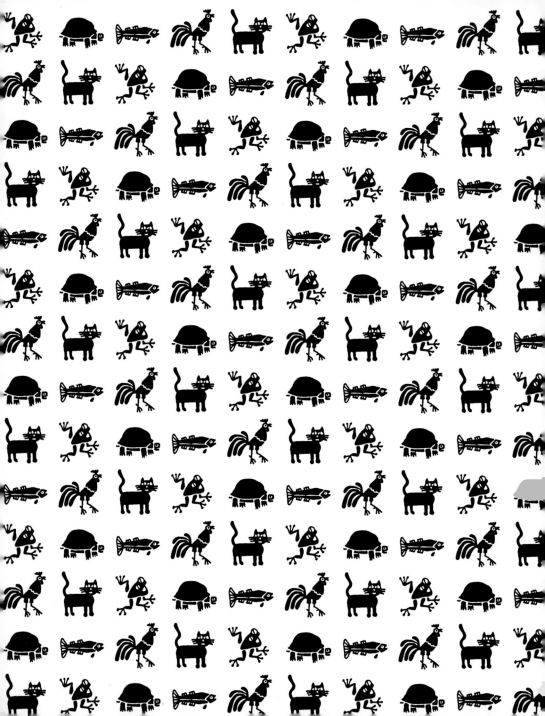